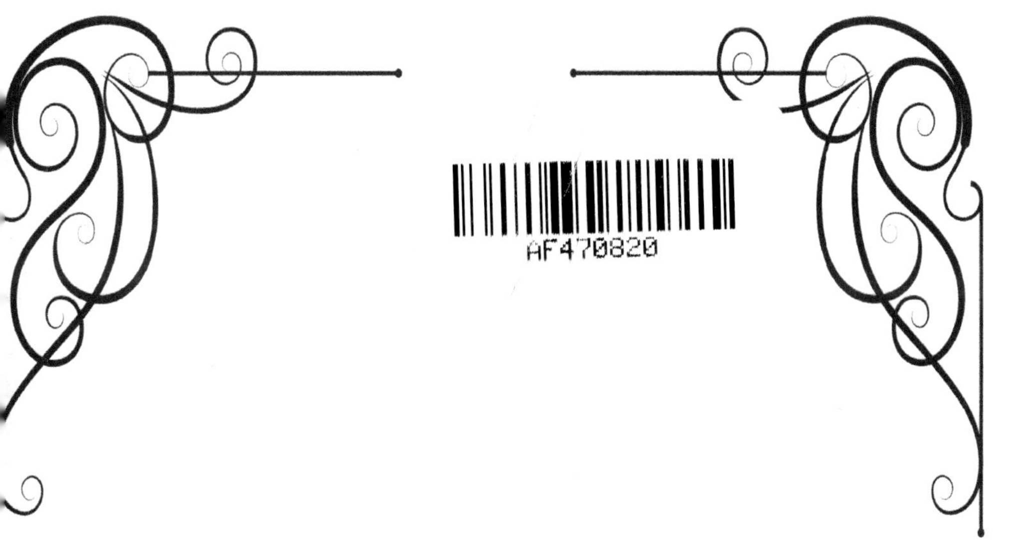

ISBN - 9781712921845

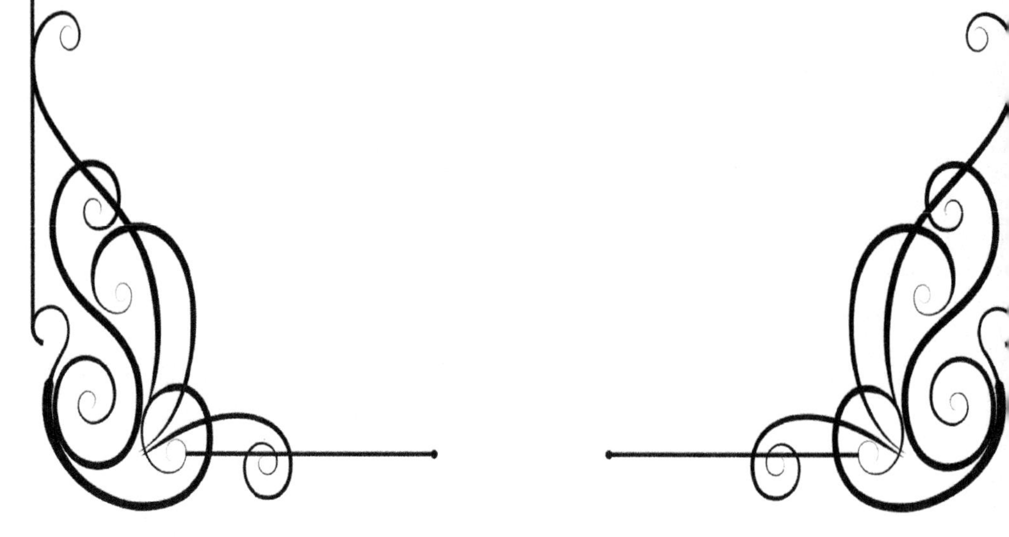

Your relationship
with your sibling
could be the longest
relationship that you
have in your life.

Date: _________

The aim of this journal is to improve my relationship with my sister _______________.

If for any reason my relationship does not improve, at least I know I have tried my best to make it work.

Signature: ___________________

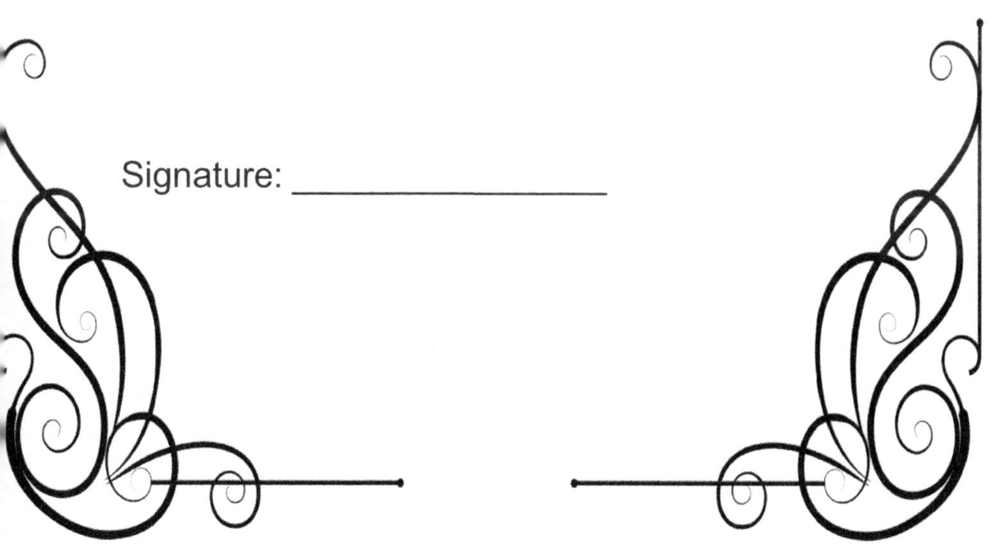

Research suggests that there
are at least five types of
sibling relationships.

1. Intimate – extremely devoted, placing sibling relationship above all others.

2. Congenial – close and caring friends, but place a higher value on marriage and parent/child relationships.

3. Loyal – based on common family history, maintain regular contact, participate in family gatherings and are there in times of crisis.

4. Apathetic – don't really feel connected and have infrequent to no contact.

5. Hostile – based on resentment and anger.

You can read more about this at Michigan State University website:

https://www.canr.msu.edu/news/the_importance_of_adult_sibling_relationships

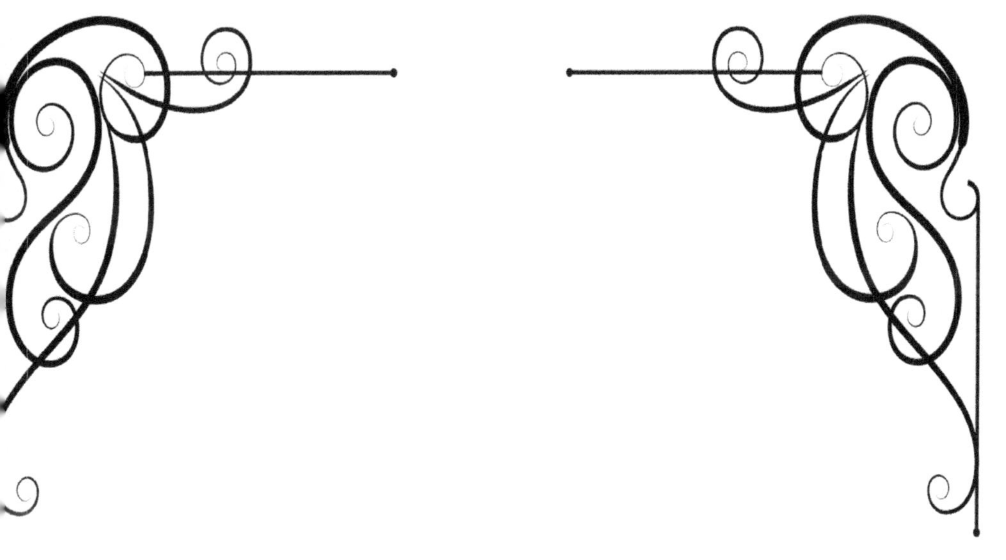

It's never too late to begin to repair an important relationship.

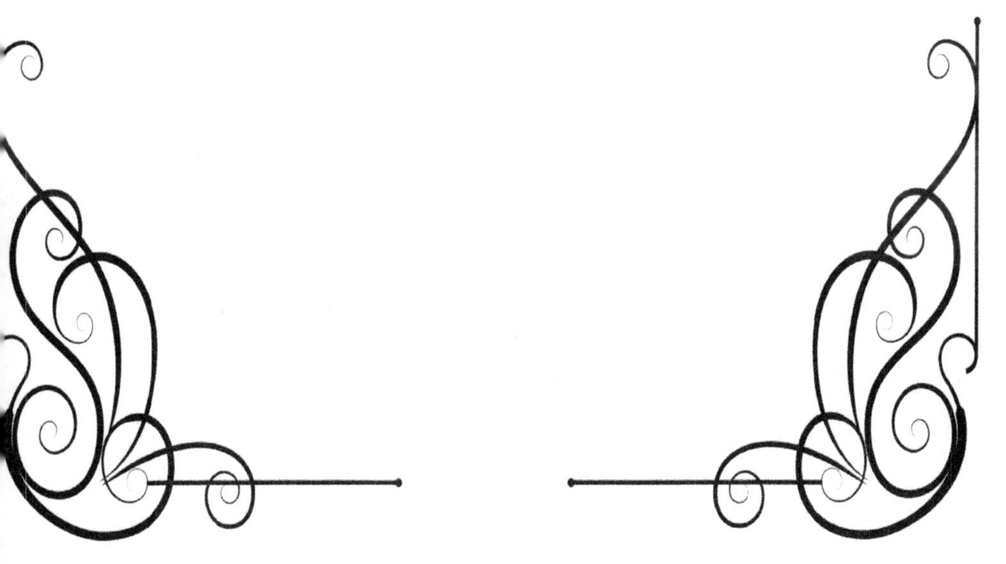

What was your relationship like when you were a child?

Can you remember when the relationship started to deteriorate?

Do you think any factors like the size of your family, your position in it, gender or life events have an impact on your relationship?

How would you like your relationship to improve?

Here are some ideas
for making contact
with your sibling.

Face to Face
Video Call
Telephone Call
Text Message
Email
Letter

Rejection is hard to
deal with.
Think about what
you want from the
relationship.
Be mindful of your
own needs and your
family's needs

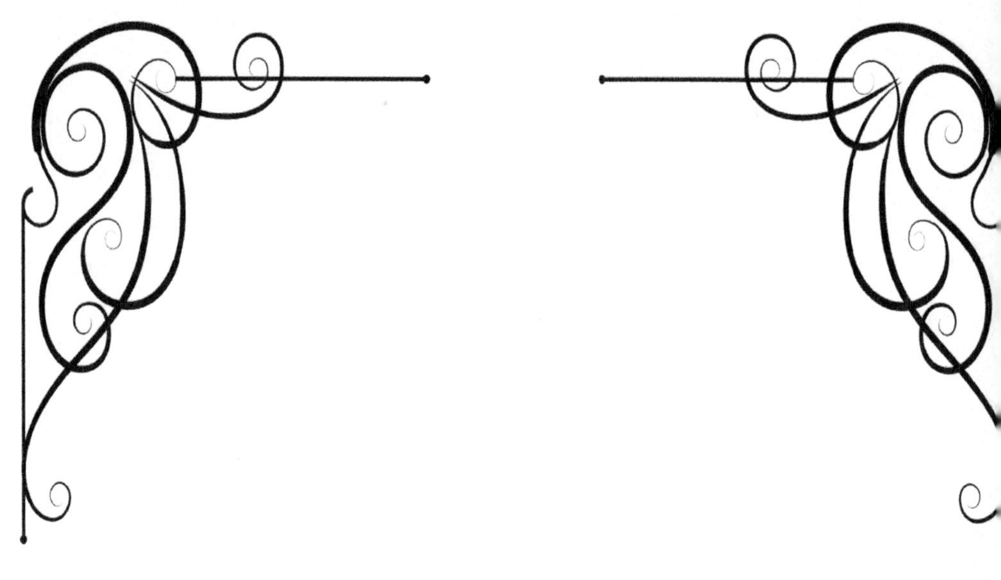

Making a decision to
not have contact does
not mean you're a
failure.

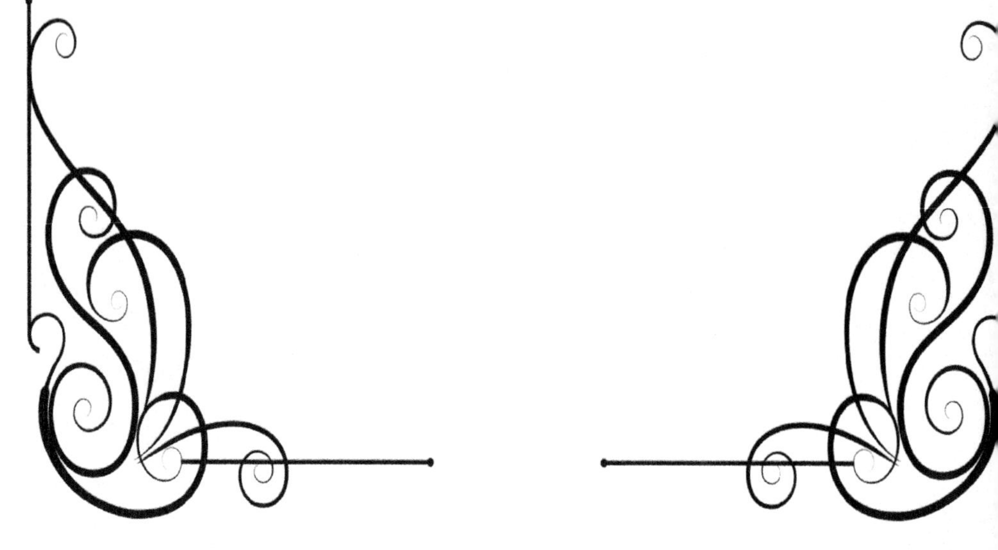

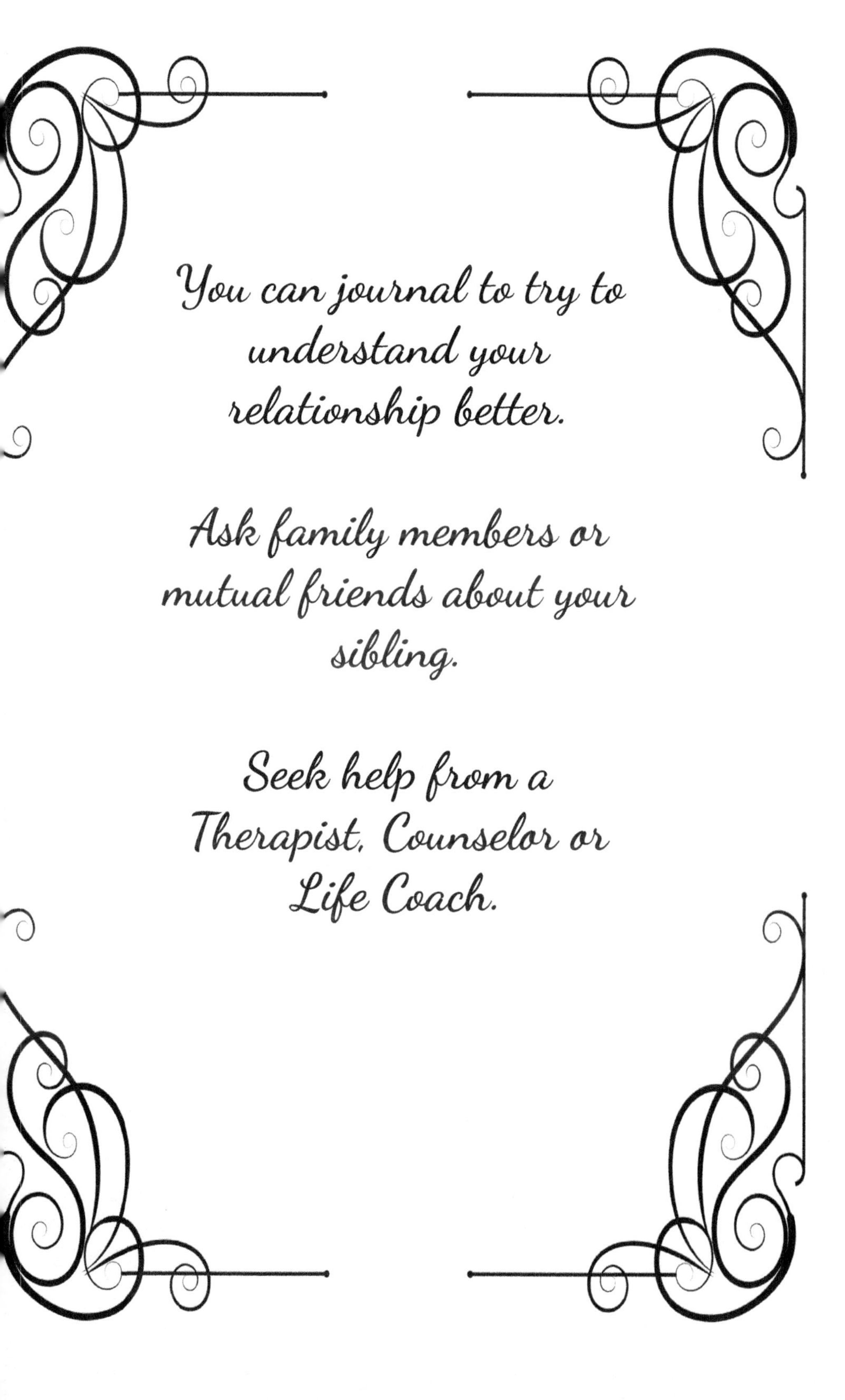

You can journal to try to understand your relationship better.

Ask family members or mutual friends about your sibling.

Seek help from a Therapist, Counselor or Life Coach.

How will you know if your
relationship has improved?

Do you share similar characteristics with your sister? This could be appearance or personality.

If you do share similar characteristics with your sister, what do you like or dislike?

Describe good memories of times you shared with your sister.

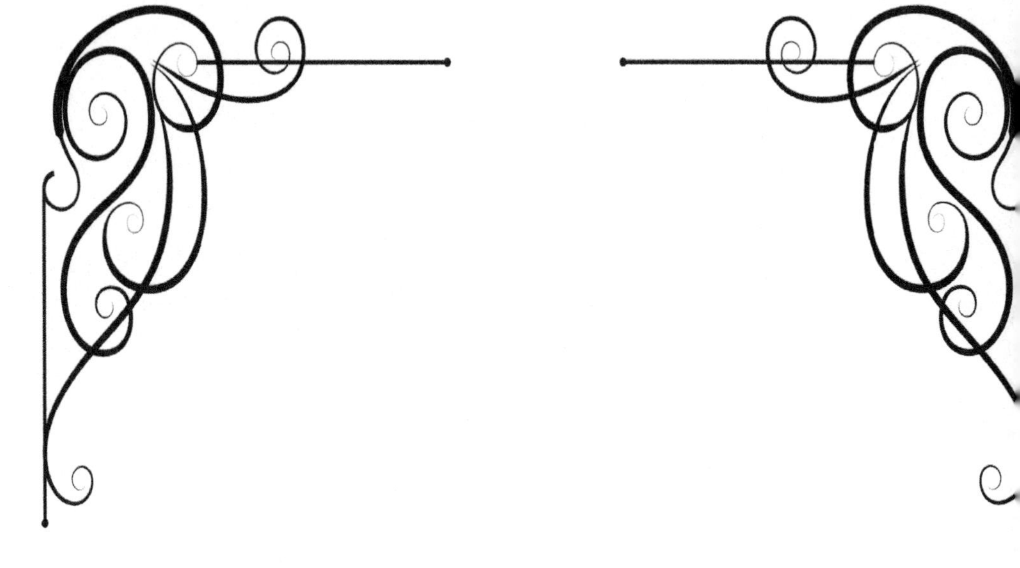

Avoid being
judgemental.

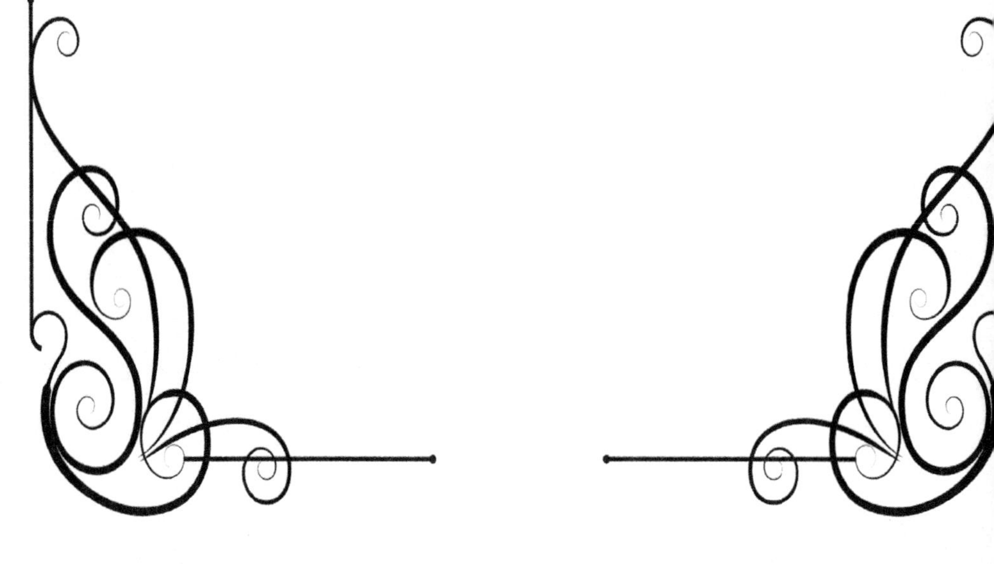

Write about your sister for five minutes . How did this exercise feel? Were you surprised?

What was your father's and mother's relationship with their siblings like?

How is the relationship
between your parent/s and
your sister?

Do you notice any patterns of
behavior when you compare
the last two answers?

Write a letter to your sister.
You don't have to send it to
her.

Act like the
loving sibling
that you would
like your sibling
to be.

What makes you angry?

How do you deal with anger?

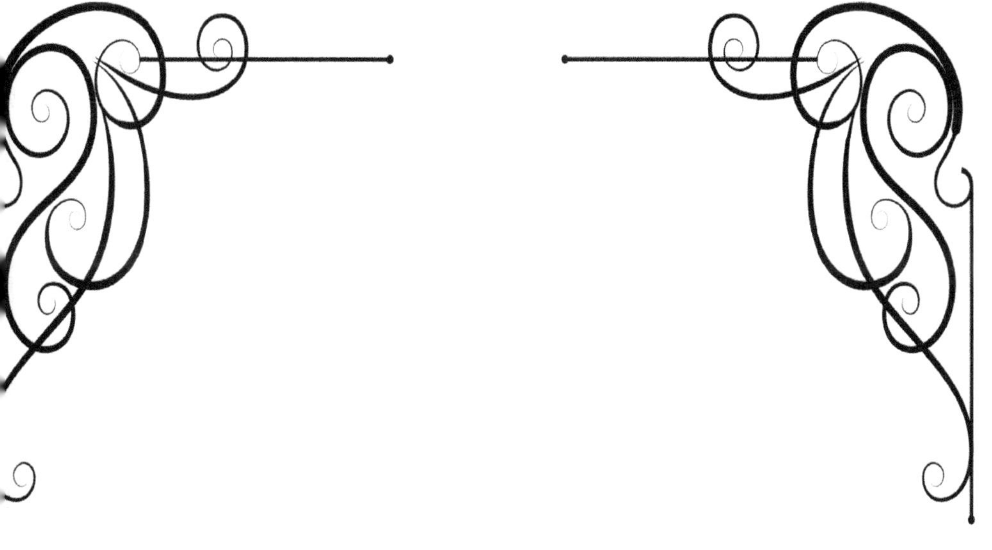

Avoid being confrontational.

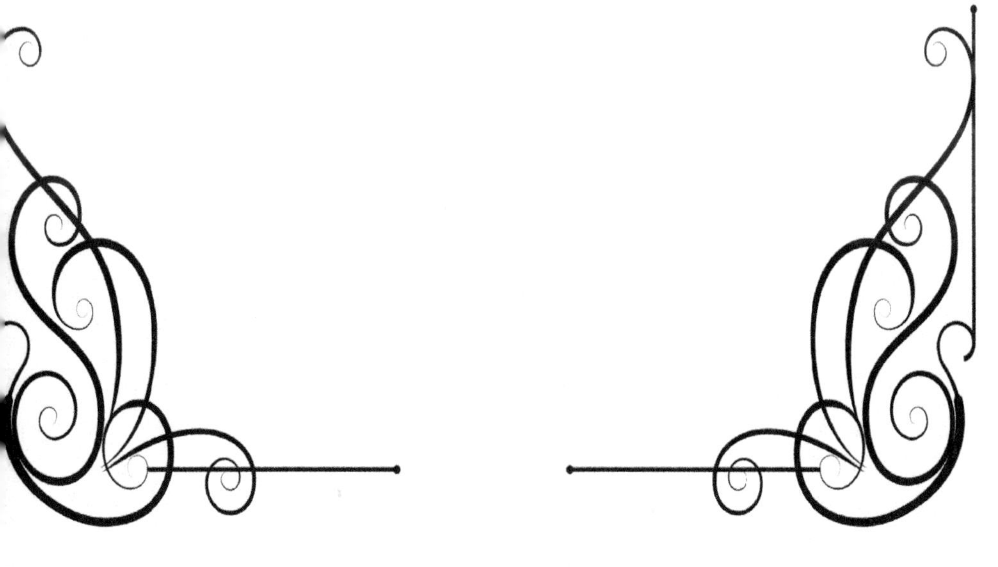

Make a list of activities that you can do to relax.

Schedule relaxation time where you can do an activity from the list on the previous page.

What relationships are you
grateful for? (The person may
be alive or no longer with us.)

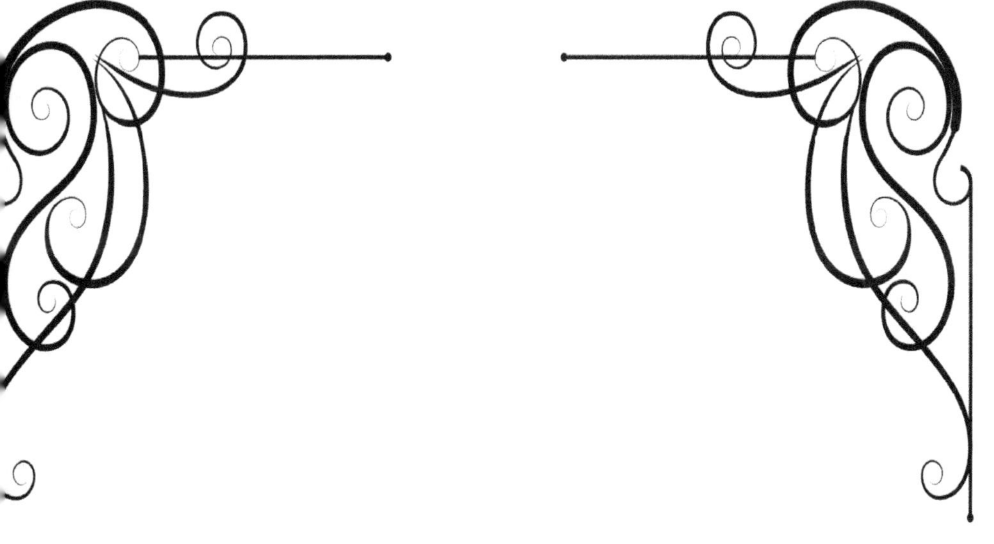

Unconditional love
heals many old
wounds.

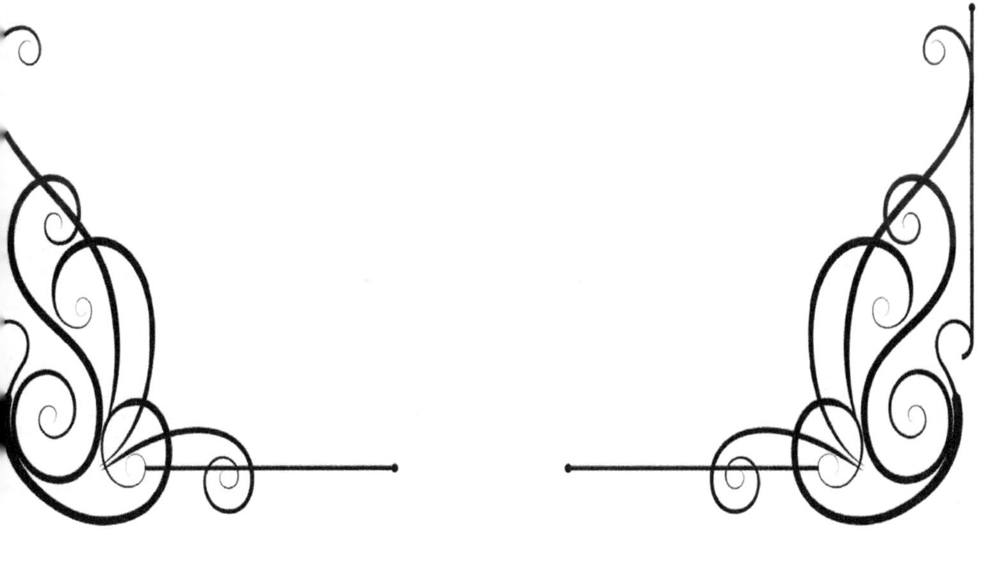

Daily Planner

Date _____________

S M T W T F S

Priorities

1

____

2

____

3

____

4

____

5

____

To Do List

- ☐ _______________________
- ☐ _______________________
- ☐ _______________________
- ☐ _______________________
- ☐ _______________________
- ☐ _______________________
- ☐ _______________________
- ☐ _______________________
- ☐ _______________________
- ☐ _______________________
- ☐ _______________________
- ☐ _______________________

Appointments

__:__ _______________________

__:__ _______________________

__:__ _______________________

__:__ _______________________

__:__ _______________________

__:__ _______________________

Menu

Breakfast

Lunch

Dinner

Notes

Daily Planner

Date ___________

S M T W T F S

Priorities

1

____

2

____

3

____

4

____

5

____

To Do List

- ☐ ___________
- ☐ ___________
- ☐ ___________
- ☐ ___________
- ☐ ___________
- ☐ ___________
- ☐ ___________
- ☐ ___________
- ☐ ___________
- ☐ ___________
- ☐ ___________
- ☐ ___________

Appointments

___:___ ___________
___:___ ___________
___:___ ___________
___:___ ___________
___:___ ___________

Menu

Breakfast

Lunch

Dinner

Notes

Daily Planner

Date _____________

S M T W T F S

Priorities

1
____
2
____
3
____
4
____
5
____

To Do List

☐ _____________
☐ _____________
☐ _____________
☐ _____________
☐ _____________
☐ _____________
☐ _____________
☐ _____________
☐ _____________
☐ _____________
☐ _____________
☐ _____________
☐ _____________

Appointments

__:__ _____________
__:__ _____________
__:__ _____________
__:__ _____________
__:__ _____________
__:__ _____________

Menu

Breakfast

Lunch

Dinner

Notes

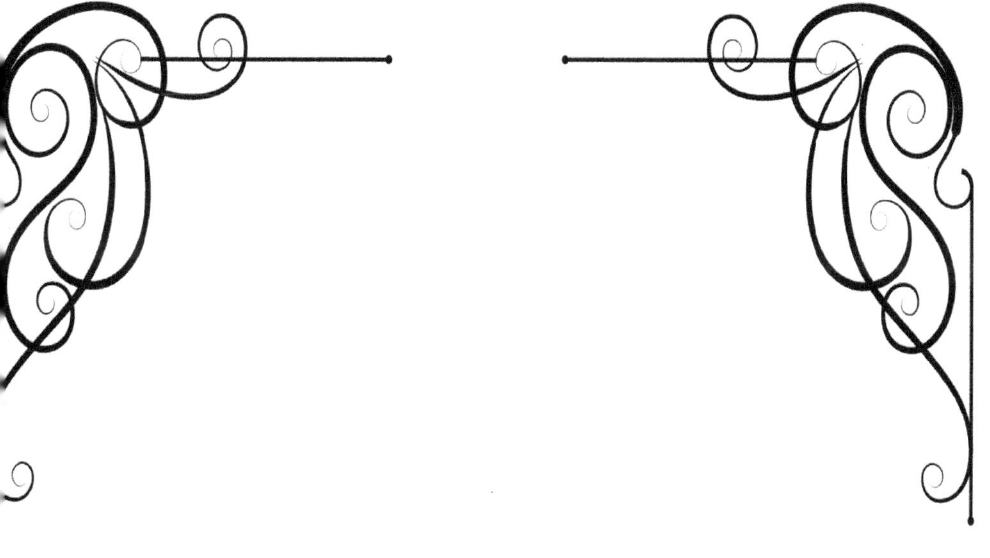

Welcome your
sibling's spouse.

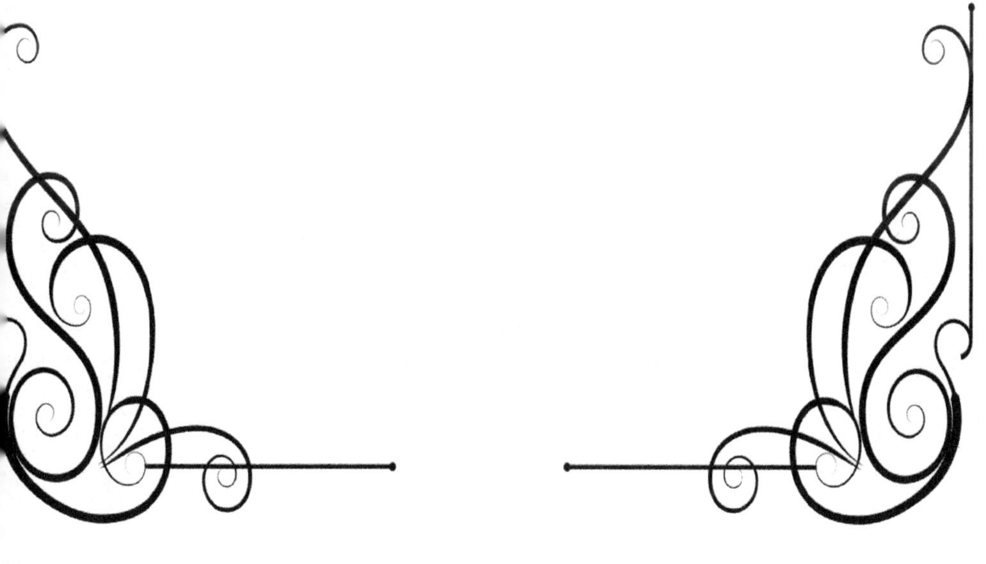

Daily Planner

Date _______________

S M T W T F S

Priorities

1

____

2

____

3

____

4

____

5

____

To Do List

☐ _______________
☐ _______________
☐ _______________
☐ _______________
☐ _______________
☐ _______________
☐ _______________
☐ _______________
☐ _______________
☐ _______________
☐ _______________
☐ _______________

Appointments

__:__ _______________
__:__ _______________
__:__ _______________
__:__ _______________
__:__ _______________

Menu

Breakfast

Lunch

Dinner

Notes

Daily Planner

Date _____________

S M T W T F S

Priorities

1

____

2

____

3

____

4

____

5

____

To Do List

- [ ] _______________________
- [ ] _______________________
- [ ] _______________________
- [ ] _______________________
- [ ] _______________________
- [ ] _______________________
- [ ] _______________________
- [ ] _______________________
- [ ] _______________________
- [ ] _______________________
- [ ] _______________________
- [ ] _______________________

Appointments

__:__ _______________________
__:__ _______________________
__:__ _______________________
__:__ _______________________
__:__ _______________________
__:__ _______________________

Menu

Breakfast

Lunch

Dinner

Notes

Daily Planner

Date _______________

S M T W T F S

Priorities

1

____

2

____

3

____

4

____

5

____

To Do List

- ☐ _______________
- ☐ _______________
- ☐ _______________
- ☐ _______________
- ☐ _______________
- ☐ _______________
- ☐ _______________
- ☐ _______________
- ☐ _______________
- ☐ _______________
- ☐ _______________
- ☐ _______________
- ☐ _______________

Appointments

__:__ _______________
__:__ _______________
__:__ _______________
__:__ _______________
__:__ _______________

Menu

Breakfast

Lunch

Dinner

Notes

Daily Planner

Date ___________

S M T W T F S

Priorities

1

____

2

____

3

____

4

____

5

____

To Do List

☐ _______________________
☐ _______________________
☐ _______________________
☐ _______________________
☐ _______________________
☐ _______________________
☐ _______________________
☐ _______________________
☐ _______________________
☐ _______________________
☐ _______________________
☐ _______________________

Appointments

___:___ _______________________
___:___ _______________________
___:___ _______________________
___:___ _______________________
___:___ _______________________

Menu

Breakfast

Lunch

Dinner

Notes

Daily Planner

Date _______________

S M T W T F S

Priorities

1

____

2

____

3

____

4

____

5

____

To Do List

☐ _______________
☐ _______________
☐ _______________
☐ _______________
☐ _______________
☐ _______________
☐ _______________
☐ _______________
☐ _______________
☐ _______________
☐ _______________
☐ _______________

Appointments

__:__ _______________
__:__ _______________
__:__ _______________
__:__ _______________
__:__ _______________

Menu

Breakfast

Lunch

Dinner

Notes

Daily Planner

Date _____________

S   M   T   W   T   F   S

Priorities

1

____

2

____

3

____

4

____

5

____

To Do List

- [ ] _______________________
- [ ] _______________________
- [ ] _______________________
- [ ] _______________________
- [ ] _______________________
- [ ] _______________________
- [ ] _______________________
- [ ] _______________________
- [ ] _______________________
- [ ] _______________________
- [ ] _______________________
- [ ] _______________________

Appointments

___:___ _______________________

___:___ _______________________

___:___ _______________________

___:___ _______________________

___:___ _______________________

Menu

Breakfast

Lunch

Dinner

Notes

Respect your
sibling's way of
life and opinions
even if you don't
agree with them.

Daily Planner

Date _____________

S M T W T F S

Priorities

1 _______________________________

2 _______________________________

3 _______________________________

4 _______________________________

5 _______________________________

To Do List

☐ _______________________________
☐ _______________________________
☐ _______________________________
☐ _______________________________
☐ _______________________________
☐ _______________________________
☐ _______________________________
☐ _______________________________
☐ _______________________________
☐ _______________________________
☐ _______________________________
☐ _______________________________

Appointments

___:___ _______________________________
___:___ _______________________________
___:___ _______________________________
___:___ _______________________________
___:___ _______________________________
___:___ _______________________________

Menu

Breakfast

Lunch

Dinner

Notes

Daily Planner

Date ____________

S M T W T F S

Priorities

1

____

2

____

3

____

4

____

5

____

To Do List

☐ ___________________
☐ ___________________
☐ ___________________
☐ ___________________
☐ ___________________
☐ ___________________
☐ ___________________
☐ ___________________
☐ ___________________
☐ ___________________
☐ ___________________
☐ ___________________

Appointments

___ : ___ ___________________
___ : ___ ___________________
___ : ___ ___________________
___ : ___ ___________________
___ : ___ ___________________

Menu

Breakfast

Lunch

Dinner

Notes

Daily Planner

Date _____________

S M T W T F S

Priorities

1

____

2

____

3

____

4

____

5

____

To Do List

- [ ] _______________________
- [ ] _______________________
- [ ] _______________________
- [ ] _______________________
- [ ] _______________________
- [ ] _______________________
- [ ] _______________________
- [ ] _______________________
- [ ] _______________________
- [ ] _______________________
- [ ] _______________________
- [ ] _______________________

Appointments

___:___ _______________________
___:___ _______________________
___:___ _______________________
___:___ _______________________
___:___ _______________________

Menu

Breakfast

Lunch

Dinner

Notes

Daily Planner

Date ___________

S M T W T F S

Priorities

1
____

2
____

3
____

4
____

5
____

To Do List

- [ ] ___________
- [ ] ___________
- [ ] ___________
- [ ] ___________
- [ ] ___________
- [ ] ___________
- [ ] ___________
- [ ] ___________
- [ ] ___________
- [ ] ___________
- [ ] ___________
- [ ] ___________

Appointments

___:___ ___________
___:___ ___________
___:___ ___________
___:___ ___________
___:___ ___________

Menu

Breakfast

Lunch

Dinner

Notes

Daily Planner

Date _____________

S   M   T   W   T   F   S

Priorities

1

____

2

____

3

____

4

____

5

____

To Do List

☐ ___________________
☐ ___________________
☐ ___________________
☐ ___________________
☐ ___________________
☐ ___________________
☐ ___________________
☐ ___________________
☐ ___________________
☐ ___________________
☐ ___________________
☐ ___________________
☐ ___________________

Appointments

__:__ ___________________
__:__ ___________________
__:__ ___________________
__:__ ___________________
__:__ ___________________

Menu

Breakfast

Lunch

Dinner

Notes

Daily Planner

Date _______________

S M T W T F S

Priorities

1

____

2

____

3

____

4

____

5

____

To Do List

☐ _______________
☐ _______________
☐ _______________
☐ _______________
☐ _______________
☐ _______________
☐ _______________
☐ _______________
☐ _______________
☐ _______________
☐ _______________
☐ _______________

Appointments

__:__ _______________
__:__ _______________
__:__ _______________
__:__ _______________
__:__ _______________

Menu

Breakfast

Lunch

Dinner

Notes

Daily Planner

Date _____________

S M T W T F S

Priorities

1
____
2
____
3
____
4
____
5
____

To Do List

☐ _____________
☐ _____________
☐ _____________
☐ _____________
☐ _____________
☐ _____________
☐ _____________
☐ _____________
☐ _____________
☐ _____________
☐ _____________
☐ _____________

Appointments

__:__ _____________
__:__ _____________
__:__ _____________
__:__ _____________
__:__ _____________
__:__ _____________

Menu

Breakfast

Lunch

Dinner

Notes

Daily Planner

Date ____________

S M T W T F S

Priorities

1

____

2

____

3

____

4

____

5

____

To Do List

☐ _______________________
☐ _______________________
☐ _______________________
☐ _______________________
☐ _______________________
☐ _______________________
☐ _______________________
☐ _______________________
☐ _______________________
☐ _______________________
☐ _______________________
☐ _______________________

Appointments

__:__ _______________________
__:__ _______________________
__:__ _______________________
__:__ _______________________
__:__ _______________________

Menu

Breakfast

Lunch

Dinner

Notes

Daily Planner

Date _____________

S M T W T F S

Priorities

1

____

2

____

3

____

4

____

5

____

To Do List

- ☐ _____________________
- ☐ _____________________
- ☐ _____________________
- ☐ _____________________
- ☐ _____________________
- ☐ _____________________
- ☐ _____________________
- ☐ _____________________
- ☐ _____________________
- ☐ _____________________
- ☐ _____________________
- ☐ _____________________

Appointments

__:__ _____________________
__:__ _____________________
__:__ _____________________
__:__ _____________________
__:__ _____________________

Menu

Breakfast

Lunch

Dinner

Notes

Daily Planner

Date _______________

S M T W T F S

Priorities

1

____

2

____

3

____

4

____

5

____

To Do List

☐ _______________
☐ _______________
☐ _______________
☐ _______________
☐ _______________
☐ _______________
☐ _______________
☐ _______________
☐ _______________
☐ _______________
☐ _______________
☐ _______________

Appointments

__:__ _______________
__:__ _______________
__:__ _______________
__:__ _______________
__:__ _______________

Menu

Breakfast

Lunch

Dinner

Notes

Daily Planner

Date __________

S M T W T F S

Priorities

1

2

3

4

5

To Do List

- [ ]
- [ ]
- [ ]
- [ ]
- [ ]
- [ ]
- [ ]
- [ ]
- [ ]
- [ ]
- [ ]
- [ ]

Appointments

___:___ __________
___:___ __________
___:___ __________
___:___ __________
___:___ __________

Menu

Breakfast

Lunch

Dinner

Notes

Daily Planner

Date _______________

S M T W T F S

Priorities

1

____

2

____

3

____

4

____

5

____

To Do List

- ☐ _______________________
- ☐ _______________________
- ☐ _______________________
- ☐ _______________________
- ☐ _______________________
- ☐ _______________________
- ☐ _______________________
- ☐ _______________________
- ☐ _______________________
- ☐ _______________________
- ☐ _______________________
- ☐ _______________________

Appointments

_____:_______________________
_____:_______________________
_____:_______________________
_____:_______________________
_____:_______________________

Menu

Breakfast

Lunch

Dinner

Notes

Daily Planner

Date ___________

S M T W T F S

Priorities

1

____

2

____

3

____

4

____

5

____

To Do List

- [ ] _______________________
- [ ] _______________________
- [ ] _______________________
- [ ] _______________________
- [ ] _______________________
- [ ] _______________________
- [ ] _______________________
- [ ] _______________________
- [ ] _______________________
- [ ] _______________________
- [ ] _______________________
- [ ] _______________________
- [ ] _______________________

Appointments

___:___ _______________________
___:___ _______________________
___:___ _______________________
___:___ _______________________
___:___ _______________________

Menu

Breakfast

Lunch

Dinner

Notes

Daily Planner

Date _____________

S M T W T F S

Priorities

1
____

2
____

3
____

4
____

5
____

To Do List

☐ _______________________
☐ _______________________
☐ _______________________
☐ _______________________
☐ _______________________
☐ _______________________
☐ _______________________
☐ _______________________
☐ _______________________
☐ _______________________
☐ _______________________
☐ _______________________

Appointments

__:__ _______________________
__:__ _______________________
__:__ _______________________
__:__ _______________________
__:__ _______________________

Menu

Breakfast

Lunch

Dinner

Notes

Daily Planner

Date _____________

S M T W T F S

Priorities

1

____

2

____

3

____

4

____

5

____

To Do List

☐ _____________
☐ _____________
☐ _____________
☐ _____________
☐ _____________
☐ _____________
☐ _____________
☐ _____________
☐ _____________
☐ _____________
☐ _____________
☐ _____________

Appointments

___:___ _____________
___:___ _____________
___:___ _____________
___:___ _____________
___:___ _____________

Menu

Breakfast

Lunch

Dinner

Notes

Daily Planner

Date _______________

S M T W T F S

Priorities

1 _______________

2 _______________

3 _______________

4 _______________

5 _______________

To Do List

☐ _______________
☐ _______________
☐ _______________
☐ _______________
☐ _______________
☐ _______________
☐ _______________
☐ _______________
☐ _______________
☐ _______________
☐ _______________
☐ _______________
☐ _______________

Appointments

__:__ _______________
__:__ _______________
__:__ _______________
__:__ _______________
__:__ _______________

Menu

Breakfast

Lunch

Dinner

Notes

Daily Planner

Date _____________

S   M   T   W   T   F   S

Priorities

1
____

2
____

3
____

4
____

5
____

To Do List

☐ _______________________
☐ _______________________
☐ _______________________
☐ _______________________
☐ _______________________
☐ _______________________
☐ _______________________
☐ _______________________
☐ _______________________
☐ _______________________
☐ _______________________
☐ _______________________
☐ _______________________

Appointments

__:__ _______________________
__:__ _______________________
__:__ _______________________
__:__ _______________________
__:__ _______________________

Menu

Breakfast

Lunch

Dinner

Notes

Daily Planner

Date _____________

S M T W T F S

Priorities

1

____

2

____

3

____

4

____

5

____

To Do List

☐ _______________________
☐ _______________________
☐ _______________________
☐ _______________________
☐ _______________________
☐ _______________________
☐ _______________________
☐ _______________________
☐ _______________________
☐ _______________________
☐ _______________________
☐ _______________________

Appointments

___:___ _______________________
___:___ _______________________
___:___ _______________________
___:___ _______________________
___:___ _______________________
___:___ _______________________

Menu

Breakfast

Lunch

Dinner

Notes

Daily Planner

Date ___________

S M T W T F S

Priorities

1

____

2

____

3

____

4

____

5

____

To Do List

☐ ___________
☐ ___________
☐ ___________
☐ ___________
☐ ___________
☐ ___________
☐ ___________
☐ ___________
☐ ___________
☐ ___________
☐ ___________
☐ ___________

Appointments

___:___ ___________
___:___ ___________
___:___ ___________
___:___ ___________
___:___ ___________

Menu

Breakfast

Lunch

Dinner

Notes

Daily Planner

Date _____________

S M T W T F S

Priorities

1

____

2

____

3

____

4

____

5

____

To Do List

☐ _______________________
☐ _______________________
☐ _______________________
☐ _______________________
☐ _______________________
☐ _______________________
☐ _______________________
☐ _______________________
☐ _______________________
☐ _______________________
☐ _______________________
☐ _______________________

Appointments

___:___ _______________________
___:___ _______________________
___:___ _______________________
___:___ _______________________
___:___ _______________________

Menu

Breakfast

Lunch

Dinner

Notes

Daily Planner

Date _______________

S M T W T F S

Priorities

1

____

2

____

3

____

4

____

5

____

To Do List

☐ _______________________
☐ _______________________
☐ _______________________
☐ _______________________
☐ _______________________
☐ _______________________
☐ _______________________
☐ _______________________
☐ _______________________
☐ _______________________
☐ _______________________
☐ _______________________

Appointments

__:__ _______________________
__:__ _______________________
__:__ _______________________
__:__ _______________________
__:__ _______________________

Menu

Breakfast

Lunch

Dinner

Notes

Daily Planner

Date _______________

S M T W T F S

Priorities

1

____

2

____

3

____

4

____

5

____

To Do List

☐ _______________
☐ _______________
☐ _______________
☐ _______________
☐ _______________
☐ _______________
☐ _______________
☐ _______________
☐ _______________
☐ _______________
☐ _______________
☐ _______________
☐ _______________

Appointments

__:__ _______________
__:__ _______________
__:__ _______________
__:__ _______________
__:__ _______________

Menu

Breakfast

Lunch

Dinner

Notes

Daily Planner

Date _____________

S M T W T F S

Priorities

1

____

2

____

3

____

4

____

5

____

To Do List

☐ _____________
☐ _____________
☐ _____________
☐ _____________
☐ _____________
☐ _____________
☐ _____________
☐ _____________
☐ _____________
☐ _____________
☐ _____________
☐ _____________

Appointments

___:___ _____________
___:___ _____________
___:___ _____________
___:___ _____________
___:___ _____________

Menu

Breakfast

Lunch

Dinner

Notes

Daily Planner

Date ___________

S M T W T F S

Priorities

1
____
2
____
3
____
4
____
5
____

To Do List

- ___________
- ___________
- ___________
- ___________
- ___________
- ___________
- ___________
- ___________
- ___________
- ___________
- ___________
- ___________

Appointments

___:___ ___________
___:___ ___________
___:___ ___________
___:___ ___________
___:___ ___________

Menu

Breakfast

Lunch

Dinner

Notes

Daily Planner

Date _____________

S M T W T F S

Priorities

1

____

2

____

3

____

4

____

5

____

To Do List

☐ ___________________________
☐ ___________________________
☐ ___________________________
☐ ___________________________
☐ ___________________________
☐ ___________________________
☐ ___________________________
☐ ___________________________
☐ ___________________________
☐ ___________________________
☐ ___________________________
☐ ___________________________

Appointments

___:___ ___________________________
___:___ ___________________________
___:___ ___________________________
___:___ ___________________________
___:___ ___________________________

Menu

Breakfast

Lunch

Dinner

Notes

Daily Planner

Date ________________

S M T W T F S

Priorities

1

____

2

____

3

____

4

____

5

____

To Do List

☐ ________________
☐ ________________
☐ ________________
☐ ________________
☐ ________________
☐ ________________
☐ ________________
☐ ________________
☐ ________________
☐ ________________
☐ ________________
☐ ________________

Appointments

___:___ ________________
___:___ ________________
___:___ ________________
___:___ ________________
___:___ ________________

Menu

Breakfast

Lunch

Dinner

Notes

Daily Planner

Date _______________

S   M   T   W   T   F   S

Priorities

1
____

2
____

3
____

4
____

5
____

To Do List

☐ _______________________________
☐ _______________________________
☐ _______________________________
☐ _______________________________
☐ _______________________________
☐ _______________________________
☐ _______________________________
☐ _______________________________
☐ _______________________________
☐ _______________________________
☐ _______________________________
☐ _______________________________

Appointments

___:___ _______________________________
___:___ _______________________________
___:___ _______________________________
___:___ _______________________________
___:___ _______________________________
___:___ _______________________________

Menu

Breakfast

Lunch

Dinner

Notes

Daily Planner

Date _____________

S   M   T   W   T   F   S

Priorities

1

____

2

____

3

____

4

____

5

____

To Do List

☐ _____________________
☐ _____________________
☐ _____________________
☐ _____________________
☐ _____________________
☐ _____________________
☐ _____________________
☐ _____________________
☐ _____________________
☐ _____________________
☐ _____________________
☐ _____________________

Appointments

__:__ _____________________
__:__ _____________________
__:__ _____________________
__:__ _____________________
__:__ _____________________
__:__ _____________________

Menu

Breakfast

Lunch

Dinner

Notes

Daily Planner

Date _________

S M T W T F S

Priorities

1

____

2

____

3

____

4

____

5

____

To Do List

- ☐ _______________
- ☐ _______________
- ☐ _______________
- ☐ _______________
- ☐ _______________
- ☐ _______________
- ☐ _______________
- ☐ _______________
- ☐ _______________
- ☐ _______________
- ☐ _______________
- ☐ _______________

Appointments

___:___ _______________
___:___ _______________
___:___ _______________
___:___ _______________
___:___ _______________

Menu

Breakfast

Lunch

Dinner

Notes

How To Deal With Negative Thoughts

Thought	How do you feel?	Re-phrase
EXAMPLE: I'm not good enough.	sad, angry, hurt	I'm fine the way I am no-one is perfect.

How To Deal With Negative Thoughts

Thought	How do you feel?	Re-phrase

How To Deal With Negative Thoughts

Thought	How do you feel?	Re-phrase

How To Deal With Negative Thoughts

Thought	How do you feel?	Re-phrase

How To Deal With Negative Thoughts

Thought	How do you feel?	Re-phrase

How To Deal With Stressful Events

Event	How do you feel?	What did you do?	What would you do differently?

How To Deal With Stressful Events

Event	How do you feel?	What did you do?	What would you do differently?

How To Deal With Stressful Events

Event	How do you feel?	What did you do?	What would you do differently?

How To Deal With Stressful Events

Event	How do you feel?	What did you do?	What would you do differently?

How To Deal With Stressful Events

Event	How do you feel?	What did you do?	What would you do differently?

Record of Contact With Sibling

Date:

How did you feel?

Record of Contact With Sibling

Date:

How did you feel?

Record of Contact With Sibling

Date:

How did you feel?

Record of Contact With Sibling

Date:

How did you feel?

Record of Contact With Sibling

Date:

How did you feel?

Record of Contact With Sibling

Date:

How did you feel?

Record of Contact With Sibling

Date:

How did you feel?

Record of Contact With Sibling

Date:

How did you feel?

Record of Contact With Sibling

Date:

How did you feel?

Record of Contact With Sibling

Date:

How did you feel?

Record of Contact With Sibling

Date:

How did you feel?

Record of Contact With Sibling

Date:

How did you feel?

Record of Contact With Sibling

Date:

How did you feel?

Record of Contact With Sibling

Date:

How did you feel?

Record of Contact With Sibling

Date:

How did you feel?

Record of Contact With Sibling

Date:

How did you feel?

Record of Contact With Sibling

Date:

How did you feel?

Record of Contact With Sibling

Date:

How did you feel?

Record of Contact With Sibling

Date:

How did you feel?

Record of Contact With Sibling

Date:

How did you feel?

Record of Contact With Sibling

Date:

How did you feel?

Record of Contact With Sibling

Date:

How did you feel?

Record of Contact With Sibling

Date:

How did you feel?

Record of Contact With Sibling

Date:

How did you feel?

Record of Contact With Sibling

Date:

How did you feel?

Record of Contact With Sibling

Date:

How did you feel?

Record of Contact With Sibling

Date:

How did you feel?

Record of Contact With Sibling

Date:

How did you feel?

Record of Contact With Sibling

Date:

How did you feel?

Record of Contact With Sibling

Date:

How did you feel?

Record of Contact With Sibling

Date:

How did you feel?

Record of Contact With Sibling

Date:

How did you feel?

Record of Contact With Sibling

Date:

How did you feel?

Record of Contact With Sibling

Date:

How did you feel?

Record of Contact With Sibling

Date:

How did you feel?

Record of Contact With Sibling

Date:

How did you feel?

Record of Contact With Sibling

Date:

How did you feel?

Record of Contact With Sibling

Date:

How did you feel?

Record of Contact With Sibling

Date:

How did you feel?

Record of Contact With Sibling

Date:

How did you feel?

Record of Contact With Sibling

Date:

How did you feel?

Record of Contact With Sibling

Date:

How did you feel?

NOTES

NOTES

NOTES

NOTES

Printed in Great Britain
by Amazon

17115013R00075